DISNEY
LA REINE DES NEIGES

LA FÊTE DE NOËL

PRESSES AVENTURE

© 2015 Les Publications Modus Vivendi inc. pour l'édition française.
© 2015 Disney Enterprises, Inc. Tous droits réservés.

Publié pour la première fois en 2014 par Random House
sous le titre original *The Christmas Party*

Publié par **Presses Aventure**, une division de
Les Publications Modus Vivendi inc.
55, rue Jean-Talon Ouest
Montréal (Québec) H2R 2W8
CANADA
www.groupemodus.com

Éditeur : Marc G. Alain
Traductrice : Catherine LeBlanc-Fredette

Dépôt légal — Bibliothèque et Archives nationales du Québec, 2015
Dépôt légal — Bibliothèque et Archives Canada, 2015

ISBN 978-2-89751-140-1

Nous reconnaissons l'aide financière du gouvernement du Canada par l'entremise
du Fonds du livre du Canada pour nos activités d'édition.

Gouvernement du Québec — Programme de crédit d'impôt pour l'édition de livres —
Gestion SODEC

Imprimé en Chine

LA FÊTE DE NOËL

Écrit par

Andrea Posner-Sanchez

Illustré par les artistes de Disney Storybook

C'est bientôt Noël !

Elsa invite tout le royaume

à une grande fête.

5

Anna s'occupe des
friandises.

Elsa fait des sculptures
de glace grâce à sa magie.

Les armoires débordent
de cadeaux.

Les desserts sont sur
la table.

Olaf cuisine
des biscuits.

Et Elsa s'assure

qu'il ne s'approche pas

trop près du four !

Elsa prépare le jus préféré d'Anna.

Chut ! C'est une surprise !

Anna entre dans la cuisine.

Vite ! Il faut lui cacher

son cadeau !

« Viens avec moi, dit Anna. À l'intérieur du château, tout est prêt. Allons voir ce qui se passe à l'extérieur. »

Les deux sœurs regardent

par la fenêtre.

Les villageois ont tant de plaisir !

Ils adorent la neige et
la glace!

« Nous avons travaillé si fort, dit Anna à Elsa, il est maintenant temps de nous amuser ! »

Les deux sœurs vont jouer

dehors dans la neige.

Elles font une bataille
de boules de neige !

« C'est amusant ! »

s'exclame Elsa.

Les deux sœurs rigolent
beaucoup ensemble !

C'est bientôt l'heure
de la fête.
Anna et Elsa doivent se
préparer.

Les fêtes, c'est génial,
mais il n'y a rien comme
une sœur !

© Disney